타몬 군, … 족?!

4

YUKI SHIWASU

★ Yuki Shiwasu Presents ★

Which face does Tamon have now?

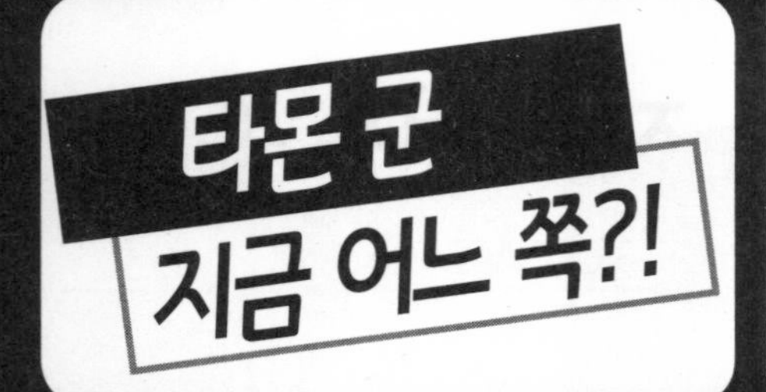

OFFICIAL★CONTENTS

우타게의
책가방에
달려 있다

Which Face
지금 어느 쪽?!
does Tamon have now?
제15화

타몬 군

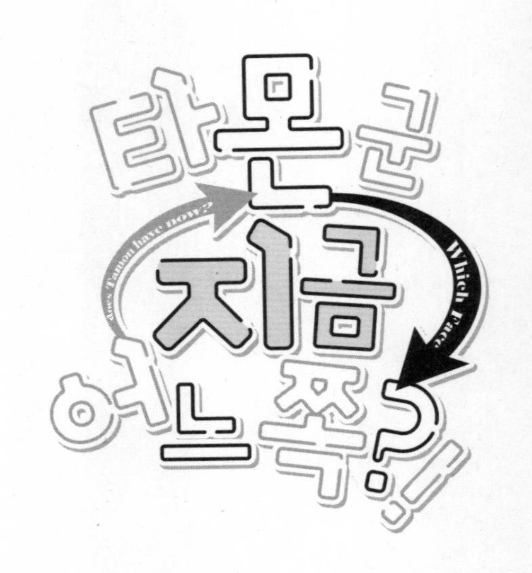
타몬 군 지금 어느 쪽?!
Which Face does Tamon have now?

열심히 노래 할게.
멋있게 춤출게.
그러니 이리 와서
함께 즐기자.
사람들을 기쁘게 하는 게 너무 좋아서 견딜 수 없어.
BAN 해 줘
수많은 팬들에게 향했던 그 마음이
최애
여기 봐 줘!
…단 한 사람을 향하게 된다면.

터벅
터벅
터벅
터벅

?!
?!
?!
장난치지
말아요….
그 후,
나는
타몬 군을
함부로 다루지
말라고요!
타몬 군
1캐럿에
몇천 억의
가치가 있는지
알기나 해요?
그걸
이런 식으로
덤핑 처리
해 버리다니,
시장
파괴도
분수가
있지!
폭발
했다.

고오오오
그리고
타몬 군
100개조를
복창시키는
기행까지
저지르고는…
(반성)
타몬 군의
꿈은
그 무엇보다
중요하다!!
타몬 군은
모두의
것이다!!
타몬 군은
모두의
것…!
타몬 군의
꿈은
그 무엇보다
중요…!
콰앙!!
분노에
휩싸여
도망치듯
그 집을
나오고
말았다.
나
한 사람을
위해
극진한
팬 서비스를
해 준 것,
원래는
기뻐해야
할
일일지도
몰라.
하지만
역시나,
세계적인
스타가 될
인물의
퍼포먼스가
그렇게
경솔하게
공급되어선
안 된다고
생각합니다!!!
전 인류여,
타몬 군을
리스펙트
하라!!!
…아니,
왜
나한테
그렇게
까지….

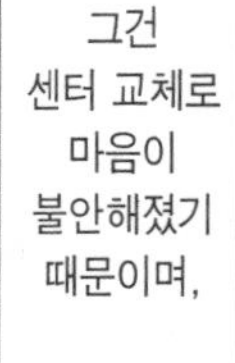

달리 얘기할 상대가 없기 때문. (비애)

역시 다른 멤버와도 잘 지내지 못하는 건가….
고릴라에게 카늘레와 봄볼로니 사다 주고 오겠습니다!!
후지타 씨는 여전히 바쁜 것 같고.
프로듀서님은 아주 무서운 사람 같던데.
살의
버터 샌드도 사 와…
오우리 군은 친구라기보단 라이벌인 데다 고릴라….

할 수 있는 일이 있다면 뭐든 해 주고 싶지만,
멤버들 사이의 문제는 아무래도 좀….
훌쩍 훌쩍
오늘은 힘들겠어… 감기 걸렸어….
뭐?
뭐?!
만병통치약
내민 모습으로 치유.
삐죽
…할 수 없지.
오늘은 혼자 놀자.

?!!

음침하라 씨?!
왜
이런 곳에!!

스윽…
하아…
하아…
하아…
하아…
하아…
키노시타 씨…!
하아…
하아
하아
반가워요.
이런 곳에서 만나다니….

키노시타 씨….
아… 안녕 하세요.
슬금
슬금…
오늘은 쉬는 날인가요?
네에.
…뭐.
비틀
잠깐만요.
키노시타 씨…
급한 일이 있어서!
비씨
키노시타 씨~!
가까이 다가왔다간 또 꽃하라 군의 덤핑이 시작될지도 몰라.
!!

고오오옷
갑자기 발이 빨라졌다.
종이 봉투도 멋있어 지고….
또 꽃하라 군의 파워를 낭비하고 있어!!
앗?!
이러다 따라 잡히….
내 말 못 알아들은 거야…?!
쫘아아아아

잠깐 다음 스케줄 까지 시간이 남아서…

한가해서 캡슐 장난감을 뽑고 있었어요….

저 같은 게 노닥거려서 죄송해요.

무슨 그런 말을…. 제대로 놀기도 한다니 안심했어요….

특이한 모양의 갓파가 있는데…

레어 예요….

우리가 바친 돈이 갓파 초밥이 되어 타몬 군에게 힐링을 준단 말이지….

기뻐….
쩌—엉…
똑같은 게 두 개 있어서 주려고 했던 건데….
왜 도망친 거죠…?
음침하라 씨는 이미지보다 100cm는 커요.
게다가 그런 차림으로 쫓아오면 진짜 무섭거든요….
이미지 80cm

아니.
지금 잡담하고 있을 때가 아니지!!
업무 외에 최애 스타와 얽히는 건
악질 오타쿠란 죄명으로 조리돌림감.
저벅
저벅
그럼, 전 이만.
충전 잘 하시고, 일 열심히 해 주세요~.
앗!

저기…!
괜찮으면 같이 점심….
안 먹어요.
딱
잘라

※최애 스타와 인연이 있는 곳에 가는 것.

역시 내 말을 전혀 알아듣지 못했어. (훌쩍)

여긴….
얼마 전 촬영차 왔던 곳이네요.
네.
타몬 군 효과로 사람들이 몰려 접근할 수조차 없었지만 이제 좀 진정된 것 같아서요!
SAND PARADISE

황홀
여기 샌드위치를 한 입 베어 물면 타몬 군이 이 세계에 존재한다는 흔적을 간접적으로 느낄 수 있죠….
원래는 만날 일 없는 두 개의 세계가 미각을 통해 연결되는 순간,
입 안에 퍼지는 것은 멈추지 않는 애정과 아주 약간의 배덕감….
그… 그런 가요?

저 사람들은 뭐 하는 거죠?
타몬 군이 서 있던 땅바닥을 보고 감탄하고 있는 거예요.
땅바닥….
최애가 있던 곳은 모름지기 파워 스폿이니까요.
음이온이 나온다…
잔류 오라가 느껴져…
굉장해…
PARADI

잘 모르겠지만, 저렇게 기뻐해 주시다니 다음 촬영은 배를 깔고 기어 다닐까?
너무 좋아.
하지만 그만둬.
그럼, 가서 사 올게요.
혹시라도 눈에 띄지 않도록 숨어 있어요.
알겠어요, 부탁할게요.
짜——안!
잘 먹겠습니다.
슥

슥
......
찰칵
찰칵
저와 샌드위치를 같이 찍는 게 재밌나요?
세상에서 제일 재밌어요.

반짝
반짝
반짝
이러면 더 재밌을까?
빠각
반짝

마음껏 찍어 봐.
타몬 군
타몬 군
타몬 군
전부 다 타몬 군?!
SO HOT.
슉!!
증발.
응…?
키노시타 씨!!
키노시타 씨…!!
으아아아아아
우라게의 흔적
자신을 표현하고 싶은 사람이 아티스트고,
타인을 즐겁게 해 주고 싶은 사람이 엔터테이너라면,
타몬 군이 어느 쪽 속성인지는 말할 것도 없다.

CD SHOP
F/ACE
F/ACE
코너가
커졌어!!
세계가 F/ACE를
따라잡았다!!!
세계,
축하해!!
타온 군,
멋있다~!!
그렇다고
해도
히익
이건….

이건…!!
오!
귀엽다
으아 아아
빠-
하지만 타몬 군은 날 위해서 이러는 거야…!! 타몬 군에게 상처 주고 싶지 않아!!
절대 안 돼!!!
저기~ 재밌어?
재밌어?
꼼
빼
퍼엉

너
덜…
꽃하라 군은 일반인의 사소한 즐거움을 위해 무상으로 제공되어선 안 된다는 것을.
대체 어떻게 말해야 말해야 알아 들을까?!

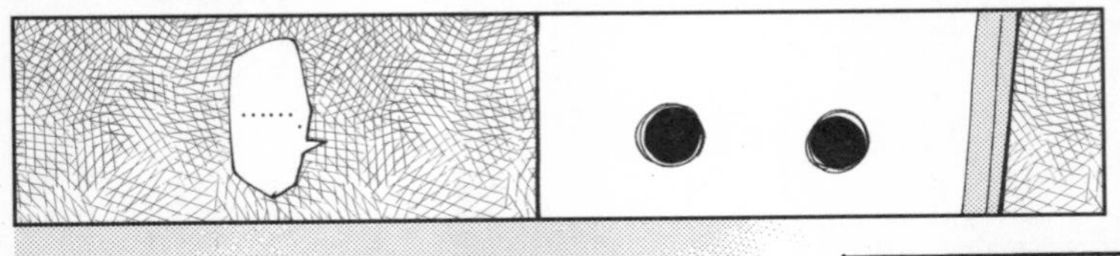
…….

야
그래!
유이나가 못 와서
티켓 한 장이 남았지.
유이나
센터 쟁탈전의 배후를 밀착 취재한 다큐멘터리 영화.
F/ACE of F/ACE
아이돌 후쿠하라 타몬이 팬들에게 과연 어떤 존재인지,
이걸 보면 이해해 줄 거야…!!

음침하라 씨!!
영화 보러 가요!!
네…?!
저 같은 놈이라도 괜찮다면
기꺼이.
우와아아아
샤라랄라
큐라라
F/ACE of F/ACE
센터 쟁탈전 다큐멘터리

나는 10번 보고 10번 울었지만,
이 싸움에서 센터를 놓친 타몬 군이 이걸 보는 건 고행일지도 몰라.
하아
땅이 꺼져라

그럼에도 난 알려 주고 싶어.
나만을 위한 게 아닌
모두를 위해 노력하는 타몬 군이 좋다고.
멋있다고.

아무리 괴로워도 잊지 말아 줘.

타몬 군의 꿈이 있는 장소는

바로 그곳이라고,

말해 주고 싶어.
주——륵!!
최고 of
최&고.
제대로 봤나요, 음침하라 씨?
이제 타몬 군의 가치를 알겠어요?
아… 아뇨…
화면을 거의 보지 않았어요.
너무 고행이라.
뭐라고요~?!

실패 했나….
…그치만,
최애에게 최애의 영화를 보여 준 이상한 행동이었을 뿐…
키노시타 씨가
무척 즐겁고…
행복해 보였어요….
아까까진
그런 표정이 아니었는데….

그거야… 저기.
타몬 군을 사랑하기 때문에….
또 보고 싶어요.
부스럭
제가 꿈을 이룬다면 또 지금처럼 행복해할 건가요?
세상에서 제일 행복할 거예요!

뭔지 모르겠지만 이해해 준 건가?
헤헤…
아… 맞다, 이거.
깜박 했어요.
?

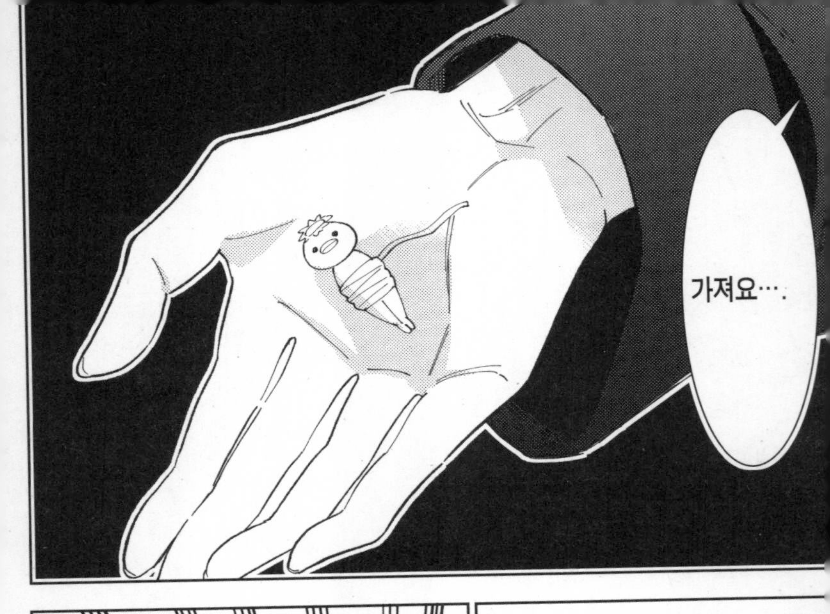
가져요….

네?!
이건
레어…
음침하라
씨~?!
후다닥

화장실에 장식된
갓파 초밥

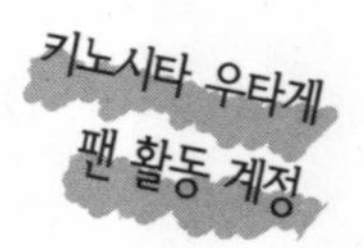

@tamonuma2525

제16화

찰칵
오늘 정말 최고야~ 타몬 군.
찰칵

머리부터 발끝까지 살아 있어
긴 다리 좀 봐…
섹시함이 폭발했어요….
보기만 해도 콜라겐이 생성되는 느낌이에요.
찰칵
센터 교체의 충격이 좀 더 이어질 줄 알았는데 금세 회복했어.
찰칵
일을 겁내긴 커녕….

다음 스케줄인데….
또 히스테리 부리겠지….
알겠습니다, 해 볼게요.
걱정 마! 그렇게 겁내지 않아도….

어, 어라?
꾸벅
늘 감사합니다.
후지타 씨.

다음 날.
키노시타 씨에게 감사 해야겠군.
덕분에 10엔짜리 땜빵이 하나 줄었다.
응?!
안녕, 만나서 반가워.

평소처럼 타몬 군 집에 가려는데,
어찌 된 일인지 케이토 군이 마중을 나왔다.
키노시타 씨… 맞지?
타몬네 집 하우스키퍼.
처… 처음 뵙겠습니다…!!!
?!
?!
?!
?!
싱글
벙글
타몬 교도들의 신뢰도 두텁고,
멤버들을 무척 아끼며, 좋은 인성과 친근한 이미지 넘버원인 멤버.
타몬
TAMON
타몬 군 인간국보 멋있다
꺄아!
꺄아!

F/ACE의 리더이자 현재 센터인 그가 왜 여기에?!
아니, 이 건물에 사니까 그렇겠지만 왜 내 눈앞에?!
잠깐 우리 집에 오지 않을래?
?!
아, 그게,
이상한 의미는 아니야.
타몬도, 오우리도 지금 와 있거든.
…다 아는 사이잖아?
우리 멤버가 늘 신세 지고 있어서 그 답례를 하고 싶은데.
이렇게 말해 봤자 대접할 수 있는 건 차뿐이지만.
신세라니 무슨 그런 말씀을…
으~음…

타몬 군 집에 멋대로 들어갈 수도 없고….
바로 옆집이었군요. 전혀 몰랐어요….
귀가 시간이 서로 다르다 보니~.
덜컥
들어와.
실례 합니다….
어두워….

오오.
방 구조는 완전 똑같네!
어디가 어딘지 한눈에 알겠어.

부우잉
1엔을 비웃는 자는 1엔에 운다
자~
다들
앉아.

응?

네가 왜 여기에.
알겠다, 날 만나러….
아니에요.

죄송해요, 초인종 눌렀는데 못 나가서.
신경 쓰지 마세요.
그보다 이 상황은 대체….

모두
내가 불렀어.
생
긋

우선
이것 좀
봐 줄래?
슥

전에
목격했을 때는
맨션 안이었기
때문에
넘어갔지만,
너 정말
평범한
하우스키퍼
맞아?
이건
어제?!
어느 틈에
이게 대체
무슨
상황이지?

너희, 또 밖에서 만나고 다녔던 거야?!
어디서 건방지게!!
이… 이건 우연히 길에서 마주친 것 뿐이에요!!
정말 우연이었어요. …전 즐거웠지만….
앗!
아니, 잠깐만.
또 라고?
뭐, 난 두 번 본가로 불렀지만.
잠깐!
어이, 어이… 둘이 나란히 넘어가다니 한심하다.
생각보다 상황이 심각하군….

키노시타 씨.
네!
우리는 세계를 목표로 하고 있어.
1st 앨범의 히트와 돔 공연 성공으로 단숨에 메이저로 도약했지.
지상파 방송 노출도 순조롭게 늘고 있어.

이제 부터가 중요해.
F/ACE를 반드시 시대를 대표하는 그룹으로 만들 거야!
케이토 군…
이미지 그대로 그룹을 사랑하는 리더….

크크크
그리고 오타쿠의 돈이란 돈은 다 긁어모아
부자 순위에 이름을 올리고 말겠어.
알다시피, 이 두 사람은 F/ACE의 간판.
이 녀석들의 활동에 대부분이 좌우되지.

내
!!!
돈
…줄.
콱
우리의 귀중한 돈줄을 홀리지 마!!
이 해로운 오타쿠 여자!!
그래… 이런 사람 이었구나….
너 같은 오타쿠는 괜한 짓 말고 얌전히 우리의 양분이 되어 주면 그만이야.
……
분수를 모르는 오타쿠는 필요 없어!
더는 못 들어 주겠네, 이 수전노 영감 탱이가!!
누가 영감탱이 라는 거야, 아직 21살이라고.

저기….
제
팬에게…
그런
식으로
말하지…
말아
주세요….
케이토 군이
일부 사람들을
불편해하는 건
알지만…
그런 말투는
좋지 않아요.

오타쿠는 무서운 생물이야.

케이토군
최애♡오빠
와아아아아
아아아
두두두두
피로 피를 씻는 동족상잔의 희망 없는 전쟁.
그러고 보니 케이토 군의 일부 팬들은 선을 한참 넘었다고 들은 적이 있어….
처
억
CIA도 울고 갈 정보 수집 능력과 미행 능력.
그 녀석들은 위험해.
그런 녀석이 있나?
있어!!
도리 도리
처억
이 여자를 봐, 교묘하게 사적 공간에 침입했어!
너희를 파멸시킬 나쁜 오타쿠야!!
실제로 센터 쟁탈전에서도 둘 다 밀려났잖아!!

조금이라도
양심이 있다면
다신
이 녀석들에게
접근하지
말아 줘.
리더의
명령이야.
타몬 군이
센터가
되지
못한 건
사실이야.
맞아.
이봐.
네가
강제로
그럴 권리는
없잖아.
누구보다
타몬 군이
그걸
알고
있어….
…….

상식적으로 생각하면

이 사람 말이 맞아.

내가 물러나야 해.

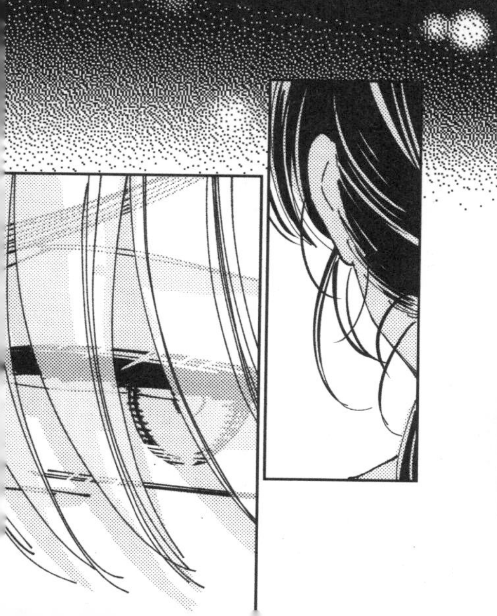

파사아!!
"제가 꿈을
이룬다면,
또 지금처럼
행복해할
건가요?"
하지만
그렇다고
해도….

맞아요,
전 오타쿠예요.
분명히
존재했던
타몬 군의
고민
이라
든가,
미소
라든가,
노력
이라든가.
가까이
다가가면
폐가 되진
않을까…
늘 고민하고
있어요.

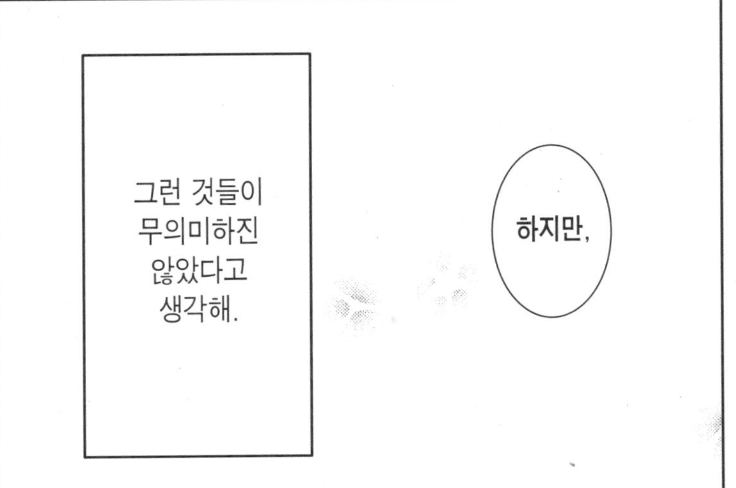
하지만,
그런 것들이
무의미하진
않았다고
생각해.

음침하라 씨 곁에 있을 때는
어디까지나 하우스 키퍼예요.
하우스 키퍼로서 할 수 있는 일을 했어요.

아아…
내가 지금 뭐 하는 거지.
저기… 일단
매니저님께서 정식으로 의뢰하셔서….
타몬 군과 거리를 두자고 결심 했는데….

…….
혹시 나는 정말로 위험한 오타쿠?

매니저가 의뢰를?
(금시초문)
무슨 생각을 하는 거야, 후지타 씨는?

벌컥
키노 시타 씨!!
응?
다들 모여서 뭐 하는 거야?
후지타 씨?!
아, 찾았다. 다행이다.
제가 여기 있는 건 어떻게 아셨어요?
실은 키노시타 씨한테 부탁이 있어요.
?
케이토 집 앞에 이게 떨어져 있어서.
부채를 너무 흘리고 다니잖아.
슥…

뭐?!
F/ACE 합숙에 참가해 주시겠습니까?!
두-웅

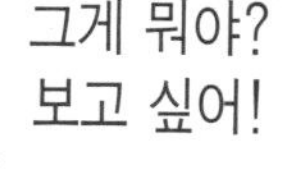
그게 뭐야? 보고 싶어!
새로운 F/ACE로서 성공하기 위해 다시 한번 친목을 다지자는 취지예요.
프로그램 기획인데요.
합숙?

이름하여 'F/ACE 두근두근 서머 트립 (가제)'.
구려.
잠깐만요.
물어보고 싶은 건 많지만… 일단 그게 무슨 말이죠?
실은 도와주기로 했던 알바생이 못 온다고 해서.

버럭
이런 사실을 가능한 한 외부인에겐 알리고 싶지 않아요!!
이 모양이란 소리 하지 마!
발끈!!
알다시피 F/ACE의 본성이 이 모양이잖아.
여름 방학이잖아요? 시간 있잖아요? 돈 필요하잖아요?
많진 않지만 사례금도 드릴 거예요!
괜찮아요, 괜찮아. 어차피 보조 일이니까요.
그… 그렇긴 하지만.
돈….
잘 모르는 사람을 잠깐 고용하는 것보다.
사정을 아는 이 여자를 데려가는 편이 안전하다 이건가요?
바로 그거지.
키노시타 씨가 곤란해하잖아요…
연예 기획사가 무슨 일을 하는지도 잘 모르는데요.
이렇게 갑자기!
허둥
지둥

타몬….

전혀 모르는 사람을 고용한다면,
넌 합숙하는 동안 단 1초도 긴장을 늦출 수 없을 텐데 괜찮겠냐?
!!

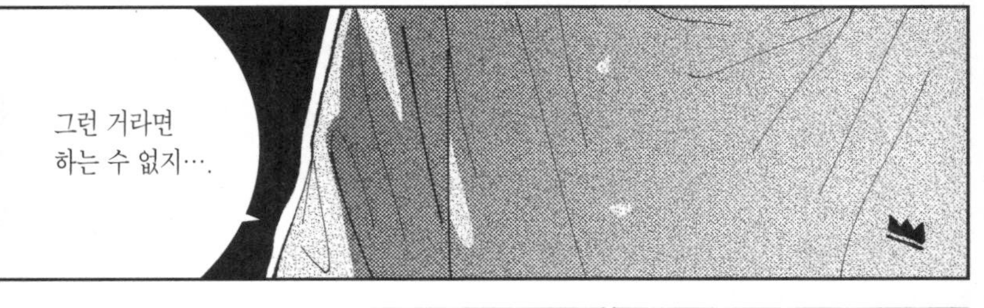
그런 거라면 하는 수 없지….

?!
타몬의 본성은 현재 세상에 알려지지 않았어.
네가 떠벌리고 다니지 않는다는 의미겠지.
그 부분만은 믿어 줄게.
리스크를 짊어지는 건 나도 반대고….

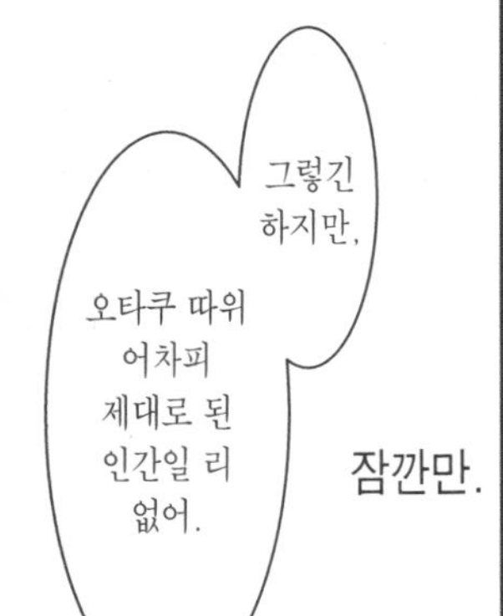
그렇긴 하지만,
오타쿠 따위 어차피 제대로 된 인간일 리 없어.
잠깐만.

2박 3일 동안
네 본성을
폭로해 주지.
째릿
무슨 말인지
종잡을 수가
없어.
진심
이야?
멋대로
결정
하지….
이 녀석은
괜찮아.
데려가자.
우물쭈물
저도…
모르는
사람보단
키노시타
씨가….
결정
됐네요.
좋아!!!
잘 부탁
드립니다.
뭐어~~
~~~?!
오—!
~~~

자세한 사항은 나중에 연락할게요.
출발은 3일 후니 잘 부탁해요!
후지타 씨!!
후닥!!
째릿…
도촬 사진 팔아먹을 생각은 하지도 마.
안 그래요!!
합숙 기간 중에 마음이 바뀌게 해 주지!
무슨 마음이슈?!
으쓱
으쓱
우웩
외박이라니 토할 것 같아.
타몬 군은 신!!!

여름은
아직
끝날 것
같지
않다.

제17화

작품 공식 Twitter는
이쪽♪

@Tamon_official

자, 드디어 시작합니다.
오ㅡㅡ 예!!
F/ACE 두근두근 여름 여행~~!!
부웅ㅡ
여름이다! 수박이다! 아이스크림이다! 바비큐 파티다!
먹을 생각뿐이잖아요. (웃음)
날씨가 좋아서 다행이다~.
린타로도 즐겁다는 표정이야.
진짜?! 진짜네!!

나도 고등학교 졸업하면 면허 딸 거야!
내년엔 내가 운전 할게!
그거 기대 되는데~♪
자외선 차단제 발랐어?
피부 노화의 원인은 자외선 이야.
아이돌은 피부가 생명!!
전 금세 새빨개 져요~.

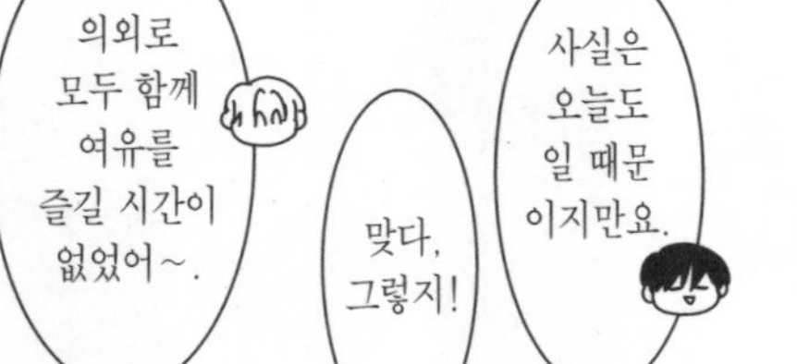
이거 신선 하다~.
함께한 시간이 길긴 하지만 주로 일이나 연습 때문 이었는데.
사실은 오늘도 일 때문 이지만요.
맞다, 그렇지!
의외로 모두 함께 여유를 즐길 시간이 없었어~.

린, 평소엔 뭐 해?
근육과의 대화?
마초인은 모두 그렇게 말하더라 고요.
끄덕
팔 굵은 거 봐!!
올림픽을 목표로 해도 되겠는데? 대박!
유난히 근육이 잘 붙는 사람이 있잖아요~.

뭐.
겉보기엔 강자인지 알 수 없는 사람이 진정으로 강한 사람이지만.
일단 매일 근육 트레이닝을 하는데 전혀 달라지는 게 없어요.
방법이 틀린 걸까요?
근육 트레이닝을 안 해도 이 녀석들 모두 원 펀치로 쓰러뜨릴 수 있다고.

오우리는 입이 짧아서 그런가?
긴장되고 불안해서 어제부터 아무것도 못 먹었어….
무리해서 단련할 필요 없다니까.
반-짝
벗을 땐 내가 벗으면 되니까.
어서 돌아가고 싶어…. 모레로 타임 슬립하고 싶다…. 집에 가고 싶어…. 음식물 쓰레기는 음식물 쓰레기답게 어둡고 서늘한 곳에 죽은 듯이 있고 싶어….

아니, 아직은 안 벗어도 돼!
바다에 도착할 때까지 참아 주세요!
하하하, 기운이 넘치네~.
3일 치 식비에 전기세 굳었다.
귀찮지만 뭐, 나쁘지 않아.

훌ㅡ렁
아이참~!!
벗지 마,
덥다니까.
공공질서~!!

부우우
우웅

이야~
캐릭터가
잘 잡혀
있네,
F/ACE.
애초에
대본이
필요
없었겠는데?
감사
합니다.
이제 막
뜨기 시작하는
F/ACE의
방송을
아리모토 씨가
맡아 주시다니.

신인이니 그런 건 상관 없어요.
실력 있는 연예인은 팍팍 밀어 줘야죠.
감사합니다.
솔직히 전 타몬 군에게 흥미가 있고,
엄청 기대하고 있어요.
요즘 세상에 좀처럼 볼 수 없는 완벽한 캐릭터잖아요.
그렇게
태어나서 한 번도 방귀 뀐 적 없게 생긴 아이가
엉뚱한 모습을 보인다면 대박일 텐데~. (웃음)
?!
아리모토 씨…
업계에서는 유명한, 실력 있는 디렉터인 듯하다.
프리랜서 디렉터
아리모토 유우
TEL

사안에 따라 회사에서 허락하지 않을 수도 있어서요.
죄송 합니다.
농담 이에요, 농담.
제대로 멋있게 찍을게요~. (웃음)
타몬 군….
스태프는 총 15명.
그중 타몬 군 일행의 본성을 아는 사람은 후지타 씨와 나뿐.
2박 3일.
꽃하라 군을 유지할 수 있을까…?
F/ACE 첫 여행 로케이션이
시작됐다.
갑작스럽게 소속사 스태프로 참가하게 된 나는….
가자~!

앗…!!
얼굴 루브르 미술관?!
육체 대영 박물관?!
팡팡 터지는 미소는 문화제 창고?!
혼자만의 만국 박람회가 시작됐다 아아아아!
지상 낙원을 보았다.

토—옹
자, OK!
!
미안 해요~.
척
까아아아아아아아아.
어디 다치지 않았어요?

김수한무 거북이와 두루미 삼천갑자 동방삭 치치카포 사리사리센타 워리워리 세브리깡 무두셀라 구름이 허리케인에 담벼락 담벼락에 서생원 서생원엔 고양이 고양이엔 바둑이 바둑이는 돌돌이.
(심두멸각의 주문)
반짝
반짝
고마워.
여기요.
그래.
하아
하아
하아!
오우리 군도 좋은데?
......
빤히——
이번 합숙 기간 동안
나도 케이토 군에게 위험한 오타쿠로 찍히지 않도록 노력해야지.
몇 년 전에 함께 일했는데,
경력이 길다 보니 빈틈이 없단 말이야.
그 부분이 장점이자 단점이기도 하거든.

그런데, 오늘은
이전에 만났을 때와 좀 다르단 말이야.
키노시타 씨, 그거 끝나면 여기 좀 부탁해
네~
저 여자, 여전히 타몬만 보고 있어….
그런데 그 변함없는 모습이
좋아.
다시 촬영 시작합니다~.
네~.
빙글
아무한테나 꼬리를 흔드는 녀석보다,
저런 녀석의

사랑을
받고
싶어.
'사랑을
받고 싶다'?
파앙
아니…
난 그저
녀석을
팬으로
만들고 싶은 것뿐….

그뿐이야.
오후 6시에 촬영을 재개할 테니,
그때까지 쉬고 계세요~.
수고 하셨 습니다.
모두 같은 숙소구나….
키노시타 씨도 방에서 쉬었다 와요.
감사 합니다.
후우~.
방 배정
음침 하라 씨.
잘 하고 있을까?

째
릿
남 걱정이나 하고 있을 상황은 아니지만.
로케이션의 명목은 친목회 겸 의기투합.
사이가 나쁜 멤버와도 이번 합숙을 계기로 친해지면 좋을 텐데.
쫑알
쫑알
쫑알
케이토 군도 타몬 군에게 무척 빡빡해 보이던데… 걱정이야….
딩동
다들 죽은 듯이 쓰러져 있을 테니,
상황 좀 봐 줄래요?
전 다음 회의가 있어서.
알겠습니다!
처억
간식은 이 정도면 될까?
털썩
털썩

키노시타 입니다~.
드르륵
자는 사람을 덮치기라도 하러 온 거야?
그랬다면 이렇게 당당하게 안 오죠.
고래고래
울지 마!! 짜증 난다고!!
미안,
으윽…!!
헤켁!
흑
흑
흑
지옥….
무슨 일 있었나요?
방에서 나가고 싶지 않다고 징징대서
둘이 혼내던 참이야.
흑 흑
어… 얼굴에 힘이 안 들어가요. (훌쩍)
이제 겨우 첫날인데!!
이래서 앞으로 촬영은 어떻게 하려고?!
부글 부글

미래의 주지육림이 이번 합숙에 달려 있다고 해도 과언이 아니야!
이번 로케이션을 성공시키는 건 F/ACE 도약을 위한 필수 코스.
쫑알 쫑알
아리모토 씨의 손을 거친 프로그램에 출연한 계기로 대박 난 연예인의 수를 셀 수 없어.
그런데 뭐야, 이 꼴이!
기합을 넣어!!
으아아앙(통곡)
으아아아아앙
혼났어~!!!
그만 하세요.
파샤
무조건 명령만 한다고 풀어진 얼굴 근육이 살아나는 것도 아니잖아요?!
시끄러워어어어!
이 얼간아~!!!
나도 계속 미소 짓고 있느라 피곤해 죽겠어.
어쩌란 말이야!

라몬군 웃어!
SMILE
plea

연결 부채?!
이불

SMILE
널
위해서라면
스마일 0엔,
Priceless.
좀 더
힘내서
노력해
보자,
잘 따라와
줄 거지,
형제들?

반짝
물론이지,
우리의
에이스인걸.
반짝
알아요,
굳이 말하지
않아도.
치익~~~…

와글
와글
큐시트
가벼운
토크

타몬 군은 말할 것도 없고
다들 정말 프로야.
방금 전까지와는 전혀 딴사람 같아.

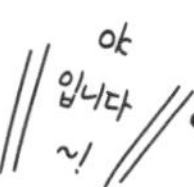
야 입니다 ~!

치익

츄릅
저도 먹어도 되는 걸까요?
식재료를 너무 많이 샀다고 스태프들도 함께 먹자고 했어요.
그러니 괜찮아요

수고 하셨습니다!
내일도 잘 부탁해~

우물 우물
우물

흘긋…
특별히 눈에 띄는 것도 아니야.
이렇게 보면 어디에나 있을 법한 흔한 녀석인데….
익숙하지 않은 일을 하느라 많이 피곤하죠?
아니요, 청소는 늘 해서
처
억
평범한 주제에,

저 녀석과
관련된
일이라면
엄청나게
돌변한단
말이야.
먹어요.
!
구워
왔어요.

타몬이
그렇게
만든다.
이
녀석을
변하게
한다.
감사
합니다.
부담
갖지
말아요.
놀래라.
왕자 버전과
얘기하는 건
첫 대면 이후
두 번째…
인가?

앗!
다다
다다
저도
도울게요~.
실례
합니다.

나도
변하게
하고 싶어.
RRRRRRR
돈도
벌고,
온천도
즐기다니
최고야~.
후~
개운하다.
여보세요.

나야.
?
누구세요?
나라고 했잖아.
좀 알아 먹어라.
사카구치 씨인가요?
억지 부리지 말아요.
타몬 군이라면 숨소리만으로도 표정까지 알 수 있지만요.
그런 정보는 알고 싶지 않아.
무슨 일인데요?
"내 방에 부채 두고 갔어."
"지금 당장 가지러 와."
"10초 안에."
후지타 씨, 늘 이런 식으로 호출받는 건가…
연결 부채, 그대로 두고 왔구나.
딩동
키노시타예요.
들어와.

한국 독자 여러분
<타몬 군>을 사랑해 주셔서
감사합니다♡

두
근
앗?!!
너, 뭐냐, 그 차림은!!
허둥
당장 오라고 하셔서….
보기 불편 하시다면 죄송해요.
허둥
보… 보기 불편하다고 한 적 없어….
음침 하라 씨는요?
버럭
씻고 있겠지. 알 게 뭐야!
흥!!
슥…
잔뜩 가지고 와서 빠트렸는지 몰랐어요.
죄송 해요.

?!
그거 하나가 아니었어?!
움찔
네.
합숙에서 음침하라 씨에게 일어날 수 있는 트러블을 예상해서….
가능한 다양한 패턴을 준비해 왔어요.
소름!!
소름, 소름, 완전 소름이야~!!
겨우 이 정도로요?
젠장!! 정말 지극정성이네!! 이렇게 열심인 녀석이 또 있을까?!!
딩동
어이.

똑똑
그 여자가 숨어들진 않았지?
케이토 군?!
이런 모습을 들켰다간 이상한 오해를 살 거야…!
……!
휘익
끄드득
꺼져.
없는 것 같군.
그래도 조심해라. 오타쿠는 악마야.
대체 무슨 일이 있었던 거야.
타악

응?
저… 저기?
네가 곤란할까 봐 그런 거야…!!
저 녀석한테 들키면.
아…
감사합니다?

사락

왜…
내가 아닌
그 녀석인 거야….

위가 아픈 케이토

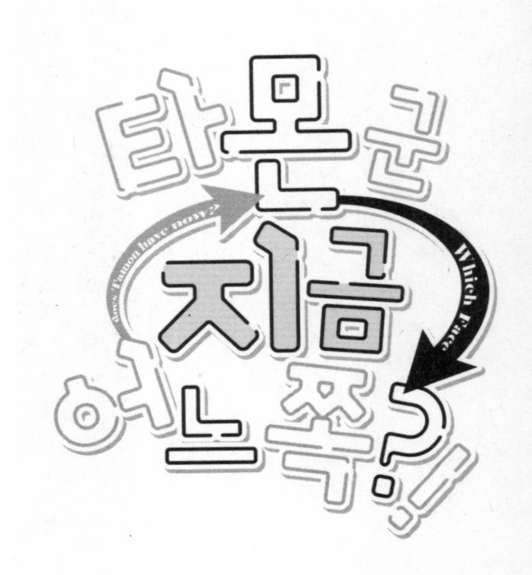
타몬 군
지금
어느 쪽?!
Which Face
does Tamon have now?

제18화

"왜…
내가 아닌
그 녀석
인 거야…."
사락
사카
구치
씨?
핫!!
내가 지금
뭘 한 거지?!
왜냐고
묻는다면….

이러니까
마치 내가
이 녀석을 정말
좋아하는 것
같잖아!!!
그래서 말인데, 2년 치 필사 노트를 읽어 드릴 테니 타몬 군을 향한 저의 사랑을 느껴 보시는 건 어떨까요?
그게 뭐야?!
단 한 줄도 듣고 싶지 않아!
정말 일편단심 이다!
깜짝
으--음
타몬 군에 대한 마음이 너무 커서 어설프게 말로 표현하려다간 오히려 아무것도 전해지지 않을 것 같은데,
설명하라니 참 어렵네요….
유리 멘탈 좀비 주제에 이런 사랑을 받다니!
제길! 제길!
볼일 다 봤으면 나가!! 멍청아~!!
콰양!!
그쪽이 먼저 물었잖아요.
음-

"왜…
내가 아닌
그 녀석
인 거야…."
왜냐…고?
사랑하는
것 외에
다른
선택지가
없잖아.
무대에서는
섹시 폭발,
페로몬 마왕.
평소엔
장난기 많은
밝은 소년.
게다가
팬을
끔찍이
아끼니
털썩
털썩
…하지만
사실
타몬 군이
처음부터
완전무결한
아이돌이었던 건
아니야.
오디션
초반에는
오히려
오우리
군이
눈에
띄었으니.

애초에
오디션 자체는
오우리 군이
있었기에
화제가 됐어.

안정적으로
톱을
유지했던
오우리
군과는
대조적으로,
타몬
군은
우여
곡절이
많았지….
……
…….
기억을
떠올리기만
해도
심장이
뜯겨
나갈 것
같으니
넘어가겠어.

…하물며
음침하라
씨는
보고 있으면
불안해서
못
견디겠어….
그런데도
타몬
군에
대한
열의가
식기는
커녕,
점점
커져
가고
있어.

휘익
으아아아아악?!!
홱
응?
약
이 목소리는 음침하라 씨?
키노시타 씨?!
안 보였어요
그 차림은 대체… 스위치가 꺼진 건가요?
아… 네….
타인과 목욕탕에 들어가는 게 너무 힘든 나머지 기진맥진해서…. 저기… 알몸일 때 습격당하면 끝이잖아요….
수건
습격….
후훗.
꽃하라 군 일 때는 툭하면 벗으면서.
(웃음)
…아.

이걸
두고 와서
가지러
갔었어요.
…그거
오늘은
너무 늦어서
내일
돌려드리려고
했는데….
사카구치
씨가
불러서요.
둑
둑
앗!
와…
아….
아.
죄송해요,
이런
차림이라.

오우리
군이?
부릅
앗!!!
어둠하라
씨?!
가지러
간 것
뿐이에요!!

아뇨…
그게
아니라.
괜찮았
어요?

'키노시타 씨가 와 주면 좋겠다'니…
새삼스럽지만 참 뻔뻔한 소릴 했던 것 같아서요.
제 생각만 해서 정말 죄송해요.
또 오우리 군이 말도 안 되는 억지를 부린다거나,
케이토 군에게 싫은 소리를 들었다거나….
익숙하지 않은 일을 하느라 힘들진 않아요?
음침하라 씨….
괜찮아요, 말짱해요!!
음침하라 씨는 음침하라 씨 걱정만 해 주세요!
그러려고 하우스키퍼인 제가 온 거니까요!

내일도
아침부터
촬영이죠?
괜한 생각
하지 말고
푹 쉬어요.
필요한 게
있으면
연락
주시고요!
그럼,
갈게요!
타몬 군을
돕는다.
그게
내 역할
이니까.
とんかつ定食
親子丼
焼き魚定食
진짜
푸짐
하다!!
잘 먹겠
습니다!!

오우리는 생선을 깔끔하게 발라 먹네~.
난 그렇게 못 발라.
왜 가시 없이 토막 난 채로 태어나지 않는 거야?
생선은 뼈에 영양가가 제일 많다고 할아버지가 말씀 하셨어.
맞아, 맞아. 칼슘이라든가, 철분이라든가~.
정어리나 꽁치는 잔가시도 먹을 수 있어요.
뼈의 골수까지 다 뽑아 먹어 주겠어!
도미 뼈는 안 돼~!!!
※착한 어린이는 흉내 내지 마세요.
야입니다
와글
점괘 어때?
대흉
푸하하
와글
말길
와글
키노시타 씨~.
왔다
네!
갔다
네!
여기도 부탁해~.

타닥
바쁘다!!
타닥
꾸벅
수고 하셨어요.
…습다.
수고 하셨습니다~!
털썩
털썩
시선
싸늘한 눈빛
수고 했어요~.
시선
이야~ 덥다.
수… 수고 하셨습니다.

합숙
이틀째도
촬영은
순조롭게
진행되어,
덥석!!
와—!
큐시트
꽁냥
꽁냥
우글
이동
합니다
우르르
후우~
후지타 씨는
늘 이런 일을
혼자서
하셨구나….
이번 기획의
클라이맥스
이기도 한
담력 시험
촬영으로.
쿠오오오오

분위기가 그럴 듯 하네요.
진짜 폐교니까.
일 없는 사람.
체육 창고에 있는 라디오 카세트 제대로 작동하는지 확인해 줄래?
네!

음침하라 씨, 괜찮을까…?
심령 몰카 기획은 미리 유령의 집에 가서 연습하고 넘긴 적이 있지만.
어두운 곳을 좋아하는 것치곤
의외로 겁이 많았어.
본성을 들키지 말아야 할 텐데.
아… 여기가 아닌가?
라디오 카세트가
없어!
실내 창고 쪽인가….
빙글
콰
앙

응?
덜컥 덜컥
덜컥 덜컥
저절로 닫혔다.
안 열려.
어라?
그 알바생은?
이제 곧 촬영 시작인데.

알바한테 최종 체크를 시키면 어떡해!
죄… 죄송 합니다.
일을 야무지게 해서.
그만
와글 와글 와글
빨리 찾아~.
큰일은 없겠지만 날이 어두워서….
…….
차렷
죄송 합니다. 저희 스태프가.
그렇지 않아도 일정이 밀렸는데 난감하네.
괜찮을까? 우리도 같이 찾아야….
아니, 아니, 너희는 정신 통일이나 해 둬.
(캐릭터 붕괴되지 않도록)
……!
제가 가서 찾아볼게요!
어이!!
탁

누구 없어요--?
어떡하지, 이대로 있다간 촬영에 지장이….
왜 멋대로 닫힌 거야~~?!!
덜컹덜컹
어떡하지?
어떡하지?
어떡해!
키노시타 씨?
!!

슴침 하라 씨…?!
무사해서 다행이다….
하아 하아
시체로 발견되면 어쩌나 하고.
타몬 군이 아이돌로 활동하는 동안은 안 죽어요….
콰앙
?!!
크우웅…

죄송해요, 절 찾으러 오는 바람에….
저의 평소 행실 때문이에요.
쿠우웅….

덜덜덜 덜
덜덜덜 덜
어떡하지, 이대로 영원히 문이 안 열려서 촬영도, 프로그램도 다 망치고,
키노시타 씨와 여기서 미라가 되어 사회적으로도, 물리적으로도 바짝 말라 버리면!

저 혼자만이라면 몰라도 키노시타 씨까지 쭈글쭈글!
죄송해요!!
눈 호강 에센스 따윈 존재하지 않아요!!!
큰일이다.
유리 멘탈이 박살 난 이 상황에선 촬영이 재개된다고 해도 꽃하라 군으로 돌아갈 수 없을 거야.
어떻게든 해야 하는데!!
진정하세요.
괜찮아요!! 곧 누군가 알아채고 열어 줄 거예요!

…….
안 열리면요?
열릴 거예요!!
버럭

안
열릴 것
같은데….
웅성
웅성
웅성
수리공을
기다리는
수밖에
없겠
어요.
억지로
열려다
부서지기라도
하면
큰일이니.
워낙
외진 곳이라
시간이
걸릴
거예요.

중얼
중얼

괘… 괜찮아요, 괜찮아!!
꽈악
이대로 날이 밝으면,
많은 사람들에게 폐를 끼치게 된다면,
두근
두근
두근
분명 잘 해결될 거예요.
타몬 군의 소중한 일을 망치게 된다면.
그러니… 기운 내요.
누구야, 제대로 확인 안 한 게!
…….
두근
두근
타몬 군을 돕는 것이
나의 일.

괜찮지
않은
거죠…?

키노시타
씨….
?

허둥
아…
제가
너무 풀이
죽어서
그랬나….
억지로
씩씩한
척하게 해서
미안해요.
질긴
그…
쨰릿
그렇지
않…….
…….
나는

평소처럼…
토닥

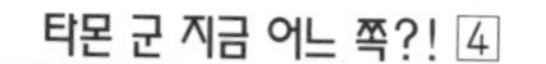

쓰-담
응?!!
쓰담
쓰담

욱...
우우우우읍
앗, 죄송해요.
더러운 손으로 생각 없이 엄마라도 되는 것처럼! 기분 더럽죠? 증발하고 싶어!!!
더럽지 않아요. 감사합니다.

놀래라.
어두워서 다행이다
키노시타 씨. 피곤하죠?

?!
안 피곤한데요?
피곤할 거예요.

그 부채도 뚝딱 준비할 수 있는 게 아니잖아요….

합숙이 갑자기 결정되는 바람에 급하게 준비했을 텐데.

please

아… 아니라면 한 대 때려 주세요!
그런데…
요즘은 주제넘은 생각을 하게 됐거든요.
저 같은 걸 위해서, 키노시타 씨라면 무리해서 밤새워 만들어 줬을 수도 있다…고.
감사합니다.
그래도 무리하진 말아요….

최애에게 걱정을 끼치다니….
듣고 보니,
조금 이지만
피곤한 것… 같기도?
용케 알았네요?
하지만 ….
…….
저,
확 뜯어 버리면 되잖아, 이딴 거 (작은 목소리)
어이, 표정 풀어 (작은 목소리)
키노시타 씨가 생각하는 것보다
더 많이 키노시타 씨를 지켜보고 있어요….

나조차도
알아채지 못했는데….
다른 사람의 안색을 살피는 건 원래 버릇이라…. 기분 나빴다면 어려워 말고 바로 신고해 주세요.
흑…. (울먹)
키노시타 씨?

아…
졸리죠?
제가
깨워 드릴 테니,
눈 좀
붙여요.
시간이
걸릴 것
같으니…
인간은
슈퍼맨이
될 수
없는 듯.
꾸벅
설령
타몬 군을
위해서라고
해도,
음침하라
씨가
간파한
대로,
흔들 흔들
그렇기에
완벽하지 않은
당신의 모습에서
힘을 얻는 건지도
모르죠.
툭
살며시…!

'함께
노력하자'고
말해
주는 것
같아서.
드르륵
괜찮아?!
열렸다!!

데헷
타몬 군을 놀라게 하고 싶어서 몰래 만든 문이 고장 났나 봐!
실은 제 탓이에요.
아뇨….
아니에요! 이게 다 문이 망가져서….
죄송합니다!! 저의 부주의로!
뭐?!!
괜찮아?!
무슨 일 당하지 않았어?!
야, 타몬!!!
!
타닥
촬영 시작합니다.
말로는 이러쿵저러쿵 해도 타몬 군을 무척 아끼는 것 같은데…?
케이토 군…

깨어나서 깜짝 놀란 우타게와
그런 우타게 때문에 놀란 타몬

타몬 군
지금
어느 쪽?!
Which Face
does Tamon have now?

제19화
WATER
MELON

짹
짹
짹
스윽…
굿모닝입니다.
이른 아침이지만, 멤버들에게 몰래카메라를 시도해 보려고 합니다.
어떤 모습으로 일어나는지 궁금하시죠?
제가 확실하게 보여 드리겠습니다!

참고로 전 아침에 가뿐하게 일어나기 때문에,
이런 몰카에는 걸려들지 않아요.
누구부터 시작해 볼까요…?
타몬 군은 시끄러우니 마지막이 좋겠네요.
케이토, 나츠키, 린타로의 방
우선 가장 조용한 린타로 군부터 가 보죠.

린타로 군,
린타로 군.
아침이에요.
쓰
담
안 일어나네요.
이번엔 케이토 군에게 가 볼게요.
새근…

케이토 군,
케이토 군,
아침이에요~.
음—
?!
으악~~~~~!!!
쾅당
조… 조용!
나츠키 군이
깨겠어요.
뭔가
알록달록
한데요…
챙겨 온
미용
용품이야
아.
괜찮은 것
같네요.
아침에 제일
못 일어나잖아,
나츠키는~.

나츠키 군,
나츠키 군.
아침이에요~.
…….
흔들
흔들
흔들
흔들
흔들
흔들
일어나세요~!!!
팍!!
두
웅
싫어.
으악~~~~~!!!

셋 중에 한 사람 밖에 못 깨웠네요.
과연 저는 타몬 군을 깨울 수 있을까요?
주먹밥 주세요.
아침 기상 몰래카메라가 산으로 가기 시작했다…(자막)

타몬 군, 타몬 군.
아침이에요~.
참고로 타몬 군도 아침엔 잘 일어나지 못하는 편이에요.
참 난감하죠.
쿨~
일어나요~.
확
?!

우와아아아
알몸?!!
조금만 더…
같이 자자.

아침부터 이런 자극적인 모습은 곤란해요, 타몬 군!!
그래, 그래, 나도 사랑해.
앗… 팬티는 입었네요, 다행이다!!
그게,
유카타를 입고 자려니 영 불편해서 말이야.
자연스레 벗게 되지 않나?
덩
평
그야 띠 정도는 풀기도 하지만,
그렇다고 훌랑 벗어 버리는 사람은 처음 봤어요.
놀래라~
자~ 자~.
타몬은 옷을 안 입어도 멋있으니 된 거 아니야?

케이토 군은 타몬 군에게 너무 오냐오냐 해요!
화기
애애
케이토도 꽃미남이고 다정해서 좋아~!
아하하하하.
왁자지껄
OK입니다-
합숙 마지막 날.
어젯밤엔 살짝 트러블이 있었지만,
담력 시험 촬영도 무사히 마칠 수 있었다.
눈 깜짝할 사이였어.

어젯밤 그 후
이런~ 미안해.
우리도….
키노시타 씨가 일을 척척 빨리 하다 보니 이것저것 부탁하게 된 건데….
미안해요.
그런 잔꾀를 부리지 않아도, 우린 제대로 분위기 띄울 수 있어요.
타몬 군의 말대로,
F/ACE 모두가 빵빵 터지는 토크, 개성 넘치는 리액션으로
어둑 어둑
확실하게 분량을 만들며 감독을 납득시켰다.

드디어 마지막 촬영이네요.
매니저 일이 이렇게 힘든 건 줄 몰랐어요.
늘 고생이 많으세요.
아뇨.
우리 회사는 인건비를 아끼는 바람에 보통은 안 하는 허드렛일까지 하느라 그런 거예요.
우리 회사가 이상한 거죠.
그… 그렇군요.

후지타 씨, 의상 체크 해 주세요~.
네~!
미안해요, 나머지 일 좀 부탁할게요.
알겠습니다.

저벅
이런 일까지 하는 거야?

타치바나 씨…!
칼도 가능하면 무딘 걸로 꺼내 봐.
바보처럼 손재주가 없어서 다칠 수 있거든.
…나 참.
정말 애먹이는 녀석이야.
역시.
타몬은 당근을 싫어하니 몰래 줄여 줘.
본색이 드러나면 큰일이니까.
우웨
에에에에
아… 알겠어요.
저기,

타치바나 씨.
사실은 타몬 군을 무척 좋아하죠?
뭐?

F/ACE로서 타몬 군을 칭찬해 주는 건 본심이 아닌가요?
그렇게 부정적이고 음침한 캐릭터를 좋아할 리 있겠냐?
왜 그렇게 생각하지?

케이토 군에겐 많은 팬들이 있어요.
그것도 …
선을 넘을 정도로 열성적인 팬들이
누구보다 많죠.
진심이 담기지 않은 말에
사람의 마음은 움직이지 않으니까요.
타몬 군도, 오우리 군도
정말 중요할 때는 거짓말을 하지 않아요.

그래서
타치바나 씨도 그렇지 않을까 했어요.
오타쿠로 살다 보면 시간도, 돈도 초 단위로 흘러가거든요.
말뿐인 얄팍한 사람에게 갖다 바칠 만큼
여유가 없어요.
……!
난 돈을 위해 일할 뿐이야.
홱
그 녀석은 보고 있으면 화가 나.
제대로 하면 누구보다 멋질 텐데….
얏
흐흐

그러지 말고
좀 더 상냥하게 대해 주지 않을래요?
너한테 그런 말 들을 이유 없어.
F/ACE 리더는 나니까.
왁자
지껄
채소는 좀 더 작은 편이….
큼직한 게 맛있지 않아?
난 감자도 푹 익어서 퍼진 게 좋아.
맑은 국물이냐, 걸쭉한 국물이냐에 이어 다시 의견 대립이….

총
총 총
오—!
대단해요.
케이토는 요리를 잘하네~.
카페에서 일할 때 주방 일도 도왔어~.
게다가
난 남동생만 다섯이라 일하는 부모님 대신 음식을 자주 만들었거든.

잠깐만, 동생이 다섯 명이나 있어?
난 세 명 정도 인 줄…
그 정보는 처음 듣는데요.
응? 말하지 않았던가?
못 들었어!!
쏴아…

처음
합숙에 가기로
결정됐을 때는
막막했는데.
촬영 끝!
쩌
벅
후~!
그래도
무사히
마칠 수
있었던 건,
쭈욱~
"키노시타 씨가
생각하는 것보다
더 많이
키노시타 씨를
지켜보고
있어요…."
"우린
제대로
분위기
띄울 수
있어요."
타몬 군이
생각했던
것보다
듬직했기
때문…?
(실례되는 발언)

음침하라 씨,
처음 만났을 때와는
조금씩 달라지고 있는 것 같아.
아
음침하라 씨!
키노시타 씨도 휴식 중인가요?
네.
…이런 데서 뭐 해요?

쏴아…
바다
사진을
찍었어요.
모처럼
바다에 왔는데
키노시타 씨가
여름을
즐기지 못한 것
같아서.
일하러
왔으니
어쩔 수
없다고는
해도.
으음….

나중에
보여
드리려고
했는데.
…이거.
엘…?
여름의
타몬 군을
리얼로 알현한
것만으로
저의 하트는
엘니뇨였어요!
그…
그렇지
않아요.
?!

소라게….
사진을
잘 못 찍어서
죄송해요.
소라…
게….
바다…?

그런 게 아니라,
음침하라 씨 답다는 생각이 들어서 웃었어요.
역시 엉망이죠?!
아니,
애초에
저 같은 게 찍은 사진 따위는 필요 없겠죠.
떠-엉
허둥
지둥
짤
짤
픕

꽃하라 군으로서 바다보다 멀리 있는 꿈을 향해 손을 뻗으며,
바로 눈앞에 있는 소라게를 열심히 찍는 음침하라 씨.
감사합니다.

물론
아이돌
로서.
우헤헤
아아…
정말
좋아….
쏴 아
오늘
케이토
군이
아이돌을
하는
이유를
처음으로
알았어요.

"동생들이
중학교,
고등학교,
대학교 입시를
앞두고 있어."
늘
돈 때문
이라고
했지만,
사실은…

"부모님도
편히 살게
해 드리고
싶어."
"진짜 착한
녀석이잖아!!!"
우물 쭈물…
가족의
미소를
위해서였어요.

…전
케이토
군이
센터인
F/ACE에서
열심히
하고
싶어요.

저도
새로운
F/ACE를
최선을
다해
응원하고
싶어요!

철썩!!
?!

키노시타 씨!!
휘익
쫄
딱
차가워~….
아하하….
주욱

쓱
쓱
가…
감사합니다.
그런데
이거 의상
아니에요?!
이 세상에서
가장 귀한 천!!!
옷이야
아무려면
어때요.
그보다
감기
걸리기
전에
갈아
입어야
해요…!
으아아아아
쓱
으아아아
아아아아!
전
괜찮아요!
어젯밤에
진짜
푹 자서.
이 정도로
감기에
걸리진
않아요!
…아아.

정말이네.
오늘은 안색이 좋아요.

하나토유메 2021년 21호★신연재 예고 컷

노래하면서도
팬들을 향해
시선을 보내는 것을
잊지 않는
프로 아이돌.
하나토유메 2021년 22호★표지 컷

하나토유메 2021년 22호★권두 컬러
《하나토유메》
팬 앙케트에서
1위 등극!

1st 단행본★
『타몬 군 지금 어느 쪽?!』 ①권 표지

하나토유메 2022년 6호★표지 컷
《하나토유메》
첫 솔로 표지.

하나토유메 2022년 5호★권두 컬러

하나토유메 2022년 12호★표지 컷

2nd 단행본★
『타몬 군 지금 어느 쪽?!』 ②권 표지

노출 비율을 논할 때가 아니다.
살색 빛으로 가득한, 아슬아슬한 두 컷.
하나토유메 2022년 7호★컬러 그림 행거용 컷
2nd 단행본『타몬 군 지금 어느 쪽?!』②권 선물용 베개 커버

더 하나토유메 다크 히어로즈
2022년 6/1호★표지 컷
다크한 표정과
상큼한 표정.
하나토유메
2022년 10·11 합병호
★표지 컷
이 남자, 자신의 매력을 어필하는 방법을 안다.

2nd 단행본
발매 당시,
1권보다 인지도를
크게 높였다.
2nd 단행본『타몬 군 지금 어느 쪽?!』②권
★종이 스탠드 컷
2nd 단행본『타몬 군 지금 어느 쪽?!』②권
★아크릴 스탠드 컷

가끔씩 엿보이는
천진난만한 표정으로
그가 아직 18살 고등학생임을 실감한다.
하나토유메
2022년 14호 부록
★'말랑말랑 부채' 컷

하나토유메 2022년 17호 부록
★'하이터치 포스터' 컷

공식 계정 업로드 컷

갑자기 예고 없이
Twitter에 올려서
많은 E/YES들을 잠 못 들게 한 셀카.

F/ACE 첫 악수회 개최.
후쿠하라의 신급 팬 서비스의 영향인가,
악수회장의 온도는
급격하게 상승.
하나토유메
2022년 22호 부록
★'후쿠하라 타몬 악수회' 컷

전혀 고등학생 같지 않은
어른스러운 모습.
그 눈동자에 비친 것은
과연 무엇일까?